GW00771425

9

# El secreto de la arboleda

## Fernando Lalana

*Premio Nacional de Literatura Infantil
y Juvenil 1991*

ediciones **sm** Joaquín Turina 39   28044 Madrid

Colección dirigida por **Marinella Terzi**

*Primera edición: octubre 1982*
*Vigésimo segunda edición: noviembre 1998*

Ilustraciones y cubierta: *Antonio Tello*

© Fernando Lalana, 1982
© Ediciones SM, 1992
   Joaquín Turina, 39 - 28044 Madrid

Comercializa: CESMA, SA - Aguacate, 43 - 28044 Madrid

ISBN: 84-348-1123-5
Depósito legal: M-35239-1998
Fotocomposición: Secomp
Impreso en España/Printed in Spain
Orymu, SA - Ruiz de Alda, 1 - Pinto (Madrid)

# 1. Un verano estupendo

LOS VERANOS están *muy bien.*

Bueno, no, los veranos están *bien,* a secas.

No, tampoco, los veranos están bien *si te marchas* a la playa, a la montaña o a otro sitio, y conoces amigos nuevos, y puedes bañarte y tomar helados y polos y cocacolas.

También están bien los veranos si has aprobado todas y no tienes que estudiar, y puedes leer libros de aventuras en lugar de libros de lenguaje y de matemáticas.

Por desgracia, lo que os quiero contar ahora no sucedió en uno de esos veranos majos y chulos a la orilla del mar o junto a un río de montaña.

¡Qué va! Esta historia se desarrolla en mi ciudad porque aquel año, al llegar las notas de junio, me encontré con que me habían caído cuatro horribles insuficientes. ¡Cuatro cates, nada menos!

¿Podéis imaginar la cara de mi papá al verlos? Seguro que sí:

Primero, se puso todo rojo, rojo.

Luego, empezó a echar chispas.

Por fin, me cogió del brazo, me llevó a mi cuarto, me sentó delante del libro de Sociales y, dando unos gritos que se oían en todo el vecindario, me dijo que no me levantase de la silla hasta el mes de septiembre.

¡O sea, que aquel verano, ni playa, ni montaña, ni piscina, ni nada de nada...!

Así que mis amigos se fueron marchando uno tras otro a sitios estupendos, donde estarían todo el día bañándose y tomando helados, polos y cocacolas, y yo me quedé más solo que el café solo y más aburrido que una ostra aburrida.

Y entonces fue cuando me di cuenta de que aquél iba a ser un verano horrible. ¡De lo más horrible!

Pero, mira por dónde, no fue así. No, señor. Todo lo contrario. Fue estupendo, os lo aseguro. Estupendo, estupendo, estupendo. Tan estupendo que quiero contároslo; porque cuando las cosas estupendas se convierten en realmente muy estupendas es cuando las cuentas a los amigos.

## 2. Una tarde aburrida

ANTES que nada, voy a presentarme. Me llamo Ernesto. De momento no os voy a decir mi apellido porque me da vergüenza. Ya os enteraréis más adelante...

La aventura, es decir, eso tan interesante que me sucedió aquel verano, comenzó algunos días después de que le enseñase las notas a mi papá.

Recuerdo perfectamente que estaba en mi cuarto haciendo como que empollaba Sociales. Hacía un calor espantoso. Apenas llevaba media hora delante del libro y ya estaba más que harto. Me levantaba, paseaba por la habitación, miraba a la calle, volvía a pasear, me sentaba, hacía como que estudiaba, me levantaba... ¡Y me aburría una barbaridad!

No sé vosotros pero yo, cuando me aburro, empiezo a sentir una necesidad

horrible: ¡COMER! De modo que, aprovechando que mi papá se había ido de casa, me acerqué hasta la nevera.

Al abrirla, me encontré con un montón de cosas incomestibles: zanahorias, judías verdes, pescado y hasta una olla con restos del estofado del día anterior. Pero alimentos de primera necesidad como natillas, chocolate o naranjada... de eso, ni rastro. ¡Ay...! Cuando vivía mamá, la nevera estaba siempre mucho mejor surtida. Papá no sabe comprar. Papá sólo se preocupa de las vitaminas, las proteínas y esas cosas.

Sí, sí, ya sé que son muy importantes para crecer y para todo... Lo que fastidia es que estén metidas en cosas nada apetitosas.

El no haber encontrado nada que me gustase me puso de muy mal humor. «¡Si al menos tuviese alguien con quien hablar...!», pensé. Si tuviese un hermano... Ser hijo único tiene, como todo, sus ventajas y sus inconvenientes.

Corrí hacia el teléfono y empecé a llamar a todos mis amigos. A Javier... A Manolo... A Carlos... (Por cierto, a Carlos en su casa lo llaman *Chirri.* ¡Está hasta el gorro!) Tenía la esperanza de que alguno de ellos hubiese tenido que quedarse en la ciudad, como yo. Pero no. No encontré a nadie. Ni siquiera cogían el teléfono. Sólo dieron señales de vida en casa de los Monsalve, donde el mayordomo me informó de que «el señorito Ricardo está en el castillo de su propiedad, en Igualada». Caramba con el Ricardito... Ahora me explico que sea tan repelente.

Cuando se acabaron los teléfonos de mi lista sin haber conseguido encontrar a ningún conocido, me tumbé en el sofá y me puse a mirar al techo, tratando de no pensar en nada. Cinco minutos. Diez minutos. Quince minutos...

De repente, sin saber exactamente por qué, me levanté; cogí las setenta y cinco pesetas que tenía ahorradas para una emergencia y me marché a la calle. Algo me decía que había una aventura esperándome por ahí y que tenía que encontrarla. Una especie de vocecita me había dicho de pronto: «Deja de perder el tiempo tumbado en ese sofá; hay algo interesante que te está esperando; ve a buscarlo, ¡caramba!».

Salí del portal de mi casa. La calle parecía el desierto del Sáhara, de tan poca gente como había en ella y de tantísimo calor como hacía. Sólo le faltaban los camellos, la arena y las palmeras.

Me quedé parado como un poste, pensando adónde ir.

Hacia la derecha, el centro de la ciudad. Es decir, asfalto, tiendas cerradas por vacaciones y un calor insoportable.

Hacia la izquierda... ¡Claro! ¡Eso era! No muy lejos de mi casa pasa el río que divide la ciudad, y al otro lado de ese río está la arboleda. Cuando era pequeño, tan pequeño que aún no iba al colegio, mi abuelo me llevaba a la arboleda. Lo pasaba fenomenal y además se estaba fresquito. Íbamos todas las tardes. Como la estación del Norte estaba muy cerca, la vía del tren pasaba justo al lado de la arboleda; y cuando oíamos el silbato de alguna máquina, los dos, mi abuelo y yo, corríamos a verla pasar de cerca. Cuando aún estaba muy lejos y apenas era un puntito, mi abuelo ya me decía: «Es un mercancías» o «Es una máquina sola» o «Es un tren de viajeros». Siempre acertaba. Es que mi abuelo había sido maquinista. Sí, sí, de los que conducen locomotoras.

Volví a escuchar la vocecita. Ahora me decía: «Venga, sí, vamos a la arboleda».

Y, claro, eché a andar hacia la arboleda.

Para cruzar al otro lado del río tuve que pasar por el puente de piedra. Es un puente sensacional que hicieron los romanos hace un montón de siglos. ¡Y aún no se ha caído! ¡Al contrario! Siguen pasando sobre él camiones y coches y de todo. Desde luego, los romanos eran unos tíos construyendo puentes y cosas de ésas. De pequeño me daba miedo cruzarlo. No podía mirar abajo, al río, porque me mareaba, y tenía que mirar al frente mientras me agarraba muy fuerte de la mano de mi abuelo.

Aquel día ya no sentí miedo. Hasta me paré en la mitad del puente y miré un rato la corriente y la espuma que se levantaba al chocar el agua contra los pilares. Lo único que me pasó fue que se me encogió un poco el estómago, igual que cuando montas en los columpios y vas muy deprisa.

Terminé de cruzar el puente corriendo a todo correr. Tenía unas ganas locas de volver a ver la arboleda. Los transeúntes con los que me cruzaba en mi carrera se quedaban sorprendidísimos. Seguramente no comprendían que, con semejante calor, a alguien le apeteciese correr de aquella manera.

—¡Venga, Ernesto! —me decía a mí mismo—. ¡Corre! ¡Dos zancadas más y ya estarás!

Llegué casi sin respiración pero llegué.

Lo malo fue que lo que encontré al llegar no se parecía nada, pero que nada, nada, a lo que yo recordaba. Seguía habiendo árboles por todas partes, sí, claro, pero entre los árboles alguien había colocado caminos de cemento. Y en los caminos, docenas de bancos de madera pintados de blanco y amarillo; o de blanco y verde; o de blanco y azul, según. Y en el centro, donde todos los caminos se juntaban, más bancos; y un quiosco muy grande y muy bonito donde servían hor-

chata y limonada y pipas de calabaza y un montón de cosas más.

Todo era nuevo y alegre. Todo estaba limpio y cuidado. Sin embargo, me sentí un poquitín desilusionado. ¡Aquélla no era la arboleda que yo recordaba! Y pensé que la de antes me gustaba más, con sus caminos de tierra y sus bancos de piedra, aunque alguno estuviese roto y caído. Y me dije: «¡Qué pena!».

Y, al instante, volví a escuchar aquella vocecita, mucho más clara que antes, como si me hablase desde dentro de mi propio oído:

—¿Por qué dices «¡Qué pena!»? Que las cosas cambien no tiene por qué darte pena siempre. Tú mismo has cambiado, te has hecho mayor. Acabas de comprobarlo al cruzar el puente. Y no te da ninguna pena, ¿no es cierto? Entonces, deja que las demás cosas cambien también. No puedes evitarlo. Así que trata de encontrar el lado bueno de todo y deja de refunfuñar. ¿De acuerdo?

Dije que sí, que de acuerdo, y entonces comprendí que quizá la nueva arboleda podía ser tan divertida como la antigua.

Así que empecé a pasear, a saltar los bancos, a trepar a las farolas, a dar pataditas disimuladas a los perros de compañía a ver si alguno salía corriendo y arrastraba a su amo. Desgraciadamente, todos los chuchos parecían adormilados por el calor.

Entre unas cosas y otras, me fui acercando al sitio que más ganas tenía de volver a ver. ¿Os imagináis cuál era?

¡La vía del tren!

Desde la arboleda no se veían los raíles, porque la vía pasaba por lo alto de un desnivel. El tren, sí; el tren se veía pasar desde todos los sitios, echando chispas y humo, mucho humo. Por arriba, por la chimenea, humo negro. Por los lados, «por los bigotes», a ras de suelo, humo blanco que en seguida se deshacía. Pero eso, sólo las máquinas de carbón. Las modernas, que funcionan con gasóleo, como los camiones, apenas echan humo. Ahora ya no debe de quedar ninguna de carbón. Ya cuando venía yo con mi abuelo quedaban muy pocas...

De todas formas, mientras corría hacia el terraplén de la vía, pensaba que me daba lo mismo. Hoy quería ver pasar un tren, el que fuese. Y las locomotoras de gasóleo también son bonitas. Seguro que habréis visto muchas, pintadas de gris y amarillo.

Aquel día no pensaba verlas pasar desde abajo, como siempre. ¡Ni hablar! Aquel día iba a subir el terraplén y me iba a poner bien cerca, protegido por el semáforo que había antes de la entrada a la estación.

Con esa idea seguí corriendo y emprendí la subida por el desnivel. Estaba tan contento que, dos veces seguidas, resbalé y caí rodando por la pendiente de tierra. Pero me levanté y, a la tercera, como debe ser, lo conseguí. Alcé los brazos y di un grito como si acabase de conquistar una medalla en la Olimpiada.

Entonces me di cuenta:

¡¡La vía no estaba!!

Cerré los ojos, me los restregué con fuerza y volví a mirar... pero la vía seguía sin aparecer.

¿Tal vez me había equivocado de lugar? No, imposible. Me acordaba perfectamente del sitio. Además, en el suelo se veían señales de que la vía había estado allí. Pero ya no estaba. Se había

18

marchado. O tal vez alguien se la había llevado.

Me quedé como tonto durante un rato larguísimo, pensando en la extraña desaparición de la vía. Y pensando, también, en la mala suerte de no poder ver ningún tren de cerca, después de lo que me había costado escalar el terraplén. ¡Ay! ¡Qué dura es la vida!

Y no penséis que acabó ahí la cosa. ¡Qué va! Para terminarla de estropear, y cuando aún estaba yo con mi cara de tonto mirando al suelo, ¿quién creéis que apareció? ¡La Marijuli!

—¡Hombre! —gritó al verme—. ¡Si es el Gil Abad! ¿Qué haces tú por aquí?

«El Gil Abad» soy yo. En el colegio me llaman por los dos apellidos para distinguirme de Gil Montero, que es uno muy alto y con una nariz así de grande.

En cuanto a la Marijuli... Marijuli es una niña de mi clase. Pero no es una niña cualquiera, no. Es la niña más sabihonda y repipi de toda la Primaria.

Marijuli es... ¿Cómo os lo explicaría yo? Por ejemplo, si el profesor, de pronto, necesita un diccionario, Marijuli, casualmente, tiene uno en el pupitre.

Si hay un examen sorpresa sobre un tema del que nadie se acuerda, Marijuli, casualmente, se lo ha repasado la noche anterior y saca un diez.

Si jugamos al minibasket chicos contra chicas, Marijuli mete todas las canastas de su equipo.

Además, es la que mejor dibuja del curso.

Total que, entre unas cosas y otras, los chicos le tenemos una manía a la tal Marijuli...

¡Pues esa misma Marijuli era la que ahora estaba delante de mí, encima del terraplén! Y en seguida empezó a demostrarme lo listísima que era:

—Pero ¿qué haces tú por aquí? —me repitió—. ¿Esperabas ver pasar algún tren? ¡Ja, ja, ja!

Se desternillaba de risa. Yo no entendía ni cascote, pero me fastidiaba que se riese de mí en mis narices. Al cabo de un rato, dejó de reír y me lo explicó:

—¿No sabías que hace casi un año que ya no pasa el tren por aquí? Han cerrado la línea. Hace cosa de dos meses vinieron unos obreros y desmontaron la vía. Ya no servía para nada.

Así era Marijuli. Todo lo sabía, todo lo conocía, de todo estaba siempre enterada.

Y todo te lo decía así, sin más, como si nada, aunque fuera la noticia más terrible del mundo.

Porque saber que el tren ya no pasaba por allí fue para mí, precisamente, eso: la noticia más terrible del mundo. Significaba que aquella tarde ya no vería pasar ningún tren y que había hecho el ridículo más espantoso. Me entraron ganas de darle una patada a Marijuli y echar a correr pero lo único que hice fue dar media vuelta y alejarme de ella sin decirle ni hola ni adiós. Pero me siguió.

—¡Eh, Gil Abad! ¿Qué te ocurre? No te enfades, hombre...

Me volví hacia ella tratando de poner voz y cara de «duro».

—Me revienta que me llamen por el apellido, ¿sabes? Y que me llamen por los dos apellidos me revienta el doble.

—Chico, lo siento, es la costumbre. Como en clase todo el mundo lo hace...

—Allí es para distinguirme de Gil Montero.

—¡Ah...! ¿Ese de la nariz grande?

—Sí, ese.

—Bueno, pues en lugar de enfadarte, dime cómo te llamas de nombre y ya está.

Nunca había hablado tanto rato seguido con Marijuli. Y me di cuenta de que, a pesar de la manía que le tenía, me apetecía seguir hablando con ella.

—Ernesto. Me llamo Ernesto.

—¿Ernesto? —dijo ella—. ¡Hala, qué feo!

—¿Feo? —grité hecho una furia—. ¿Feo Ernesto? ¿Y Marijuli? ¿Eh? ¡Marijuli sí que es feo! ¡Es el nombre más feo del mundo! ¿Te enteras?

Pero Marijuli se estaba desternillando de risa nuevamente.

—Vamos, cálmate —dijo por fin entre carcajadas—. Sólo era una broma. Claro que no es feo. Ernesto está bastante bien.

—¡Está muy bien! —dije, cada vez más fastidiado.

—De acuerdo. Es un nombre muy bonito.

—Exacto.

—Y bien, Ernesto, ¿qué haces tú por aquí?

—¡Psssst...! Paseando. ¿Y tú?

—¡Psssst...! También... —los dos bajamos del terraplén y echamos a andar, despacito, por la arboleda—. ¿Has venido solo?

—Naturalmente —contesté dándome importancia—. Ya soy mayor...

—Yo también he venido sola.

¿Lo veis? Así es Marijuli. ¡No hay forma de ganarle! Hagas lo que hagas, ella lo hace, por lo menos, tan bien como tú.

—Pero seguro que yo vivo más lejos —añadí.

—Bueno, seguro que sí. Es que yo vivo ahí, ¿sabes?

Y señaló una casa muy cercana, situada justo al lado de la vía. Mejor dicho, justo al lado del sitio en donde antes estaba la vía.

—¿De verdad vives ahí? ¡Qué suerte! Habrás visto pasar muchísimos trenes —le dije, sintiendo un poco de envidia.

—Claro, los veía todos. Y todos los maquinistas me conocían y me saludaban al pasar.

Estuve a punto de decirle que mi abuelo había sido maquinista, pero no se lo dije porque seguro que ella me salía entonces con que el suyo había sido jefe de estación. Así que me callé.

En ese preciso momento apareció en mi cabeza una idea pequeñita que pronto se hizo más y más grande. Era una idea que me serviría para reírme un poco de Marijuli; que ya era hora, después de todo lo que ella se había reído de mí.

—Supongo —le dije muy serio— que viviendo tan cerca podrás bajar a jugar a la arboleda siempre que quieras.

—Claro —contestó Marijuli.

—Y te la conocerás palmo a palmo.

—Por supuesto.

—Seguro que hasta sabes cuántos árboles hay.

—Dos mil ciento dieciséis —sonrió—. No, no los he contado yo. Pero algunos ancianitos que pasan aquí las horas muertas sí que lo han hecho. Yo no he tenido más que preguntarles.

¡Caramba con Marijuli! No me negaréis que es sorprendente. Pero ahora, je, je, je, ahora llegaba mi turno.

—Y supongo que habrás visto muchas veces al hada.

—¿Hada? ¿Qué hada?

24

—El hada de la arboleda, naturalmente —dije yo, más serio que un ajo.

—Vamos... tú lo que quieres es tomarme el pelo, Gil Abad.

—¡Oh! Eso quiere decir que no la has visto nunca...

—¿Un hada? ¡Las hadas no existen! ¿Estás chiflado?

—Bueno... si tú lo dices, estaré chiflado.

Y empecé a caminar. Pero había conseguido interesarla y, en seguida, estaba pisándome los talones.

—Oye, ¡no hablarás en serio...!

—Completamente en serio.

—¿Tú la has visto?

—Tres veces.

—Y ¿cómo es?

—¡Pssst...! Como todas las hadas. Lleva un gorro puntiagudo y una varita mágica con una estrella en la punta.

Marijuli abrió unos ojos como platos de postre y dijo:

—¡Sopla!

¡Ya estaba! ¡Ya estaba! ¡Lo había conseguido! ¡Marijuli se había tragado la bola! Yo, por dentro, estaba que me partía de risa, pero decidí seguir con el cuento del hada hasta sus últimas consecuencias. ¡Cuando lo contase en clase iba a ser la monda...!

—Bueno, y ¿dónde está? —preguntó Marijuli.

—¿Quién?

—¿Eres bobo? ¡Quién va a ser! ¡El hada!

—¡Oh! ¿Quién sabe? Suele estar todo el día por ahí, haciendo magias... Es muy difícil encontrarla en casa.

—¿Es que sabes dónde vive?

—Por supuesto —dije tranquilamente. Y seguí andando, ante la sorpresa de Marijuli que esperaba que le contase inmediatamente el secreto del hada. Cinco segundos después, venía corriendo hacia mí, gritando.

—¿Y bien? ¿A qué esperas? ¡Dilo ya!

—Es que... no sé si debo decírtelo. No es algo que se pueda decir a cualquiera.

—¡Pero yo no soy cualquiera! Somos amigos.

—¿Ah, sí?

—¡Claro! ¡Fíjate la de rato que llevamos hablando! Dentro de muy poco ya seremos íntimos amigos. Hasta es posible que lleguemos a casarnos.

Hice como que me lo pensaba mucho, mientras me rascaba una oreja.

—No sé, no sé...

—¡Hala, por favor...!

—Está bien. Te lo voy a decir.

—¿De veras?

—De veras: El hada de la arboleda vive en un árbol.

—¿Un árbol? —dijo Marijuli con cara de incrédula.

—Por supuesto, no se trata de un árbol corriente sino de un árbol-casa.

—¿Un árbol-casa?

—Sí. O un árbol-vivienda, como prefieras.

Tras un momento de silencio, Marijuli dijo muy seria:

—Me parece que me estás metiendo una bola del tamaño de un autobús.

Lo dijo de tal modo que estuve a punto de confesar que sí, que todo era una trola. Pero me arriesgué a continuar un poquito más.

—Razona un poco, Marijuli —le dije, muy convincente—. ¿Dónde puede vivir un hada? ¿En un piso de alquiler? No.

¿Debajo del puente de piedra, como un vagabundo? No. ¿En una pensión? Tampoco. Sólo queda un lugar posible...

Un... un árbol casa.

—¿Lo ves? Tú misma lo has dicho.

—Bueno, y... ¿cuál de los dos mil y pico de árboles es el del hada?

—Seguro que lo conoces. ¿Sabes ese chopo gordo, gordo, que hay junto a la orilla, cerca del embarcadero?

—Sí.

—Pues ese.

—¿Ese?

—Ese.

—¡Vamos a verlo ahora mismo! Y como sea mentira, ya te puedes preparar.

Echó a correr tan deprisa que apenas podía yo seguirla. ¡Y eso que soy de los que más corren de mi clase!

Cuando llegamos, me acerqué con decisión al tronco y lo golpeé con los nudillos, como si llamase a una puerta:

*Toc, toc, toc.*

Esperé un poco. Volví a llamar:

*Toc, toc, toc.*

Esperé otro poco y me volví con cara triste hacia Marijuli:

—Lo siento, chica, parece que no está. Ya te dije que de día es difícil encontrarla. Pero si volvemos esta noche, seguro que estará.

—Es que a mí no me dejan salir de noche.

—¿No? —yo ya lo sabía—. ¡Vaya! Ese sí que es un problema.

—Tal vez sí que está pero no te ha oído. Llama más fuerte.

Volví a llamar un rato largo:

*Toc, toc, toc... Toc, toc, toc... Toc, toc, toc...*

Pero no me contestó nadie, claro. Apoyé la espalda en el tronco del árbol y miré con cara de resignación a Marijuli. La pobre estaba tan desilusionada que casi, casi, deseé que todo aquello no hubiese sido una mentira.

—¿Y tiene nombre? —me preguntó.

—¿El hada? No, creo que no; se llama simplemente eso: el Hada. El Hada de la Arboleda.

Fue entonces cuando Marijuli abrió de par en par los ojos y la boca. Y, casi al mismo tiempo, oí junto a mis pies una vocecita chillona que decía:

—Pero ¿a qué viene tanto alboroto?

¿Es que no puede una ni dormir la siesta? Y sepa, jovencito —eso iba por mí—, que sí tengo nombre. Me llamo Rufina. Rufina del Bosque; de profesión, hada.

Me volví. Una parte de la corteza del árbol se había abierto, como una puerta pequeñaja, y junto a ella estaba la personita que acababa de hablar. No mediría más de dos palmos; iba vestida de hada; llevaba un puntiagudo gorro de hada y, en la mano, una varita mágica como las que llevan siempre las hadas.

Yo, al verla, me dije: «Ernesto, esta tiene que ser un hada».

Y, tras llegar a tan brillantísima deducción, me desmayé.

# 3. Chocolate con churros

AL RECOBRAR el conocimiento, me encontré en el interior de la casa del hada Rufina. Era una casa amplia y cómoda, con su cuarto de baño, su cocina, su dormitorio y su sala de estar.

¿Que cómo era posible meter tantas cosas dentro de un tronco de árbol? No me preguntéis. No tengo ni idea. Pero lo mejor será que os vayáis metiendo en la cabeza que para un hada como Rufina apenas hay nada imposible.

Cuando abrí los ojos, me vi a mí mismo tumbado en un sofá; a Marijuli, sentada en una mecedora, leyendo una revista, y a Rufina, vestida con una bata de casa de color mostaza, preparándome una manzanilla. Ninguna de las dos se habían dado cuenta de que ya me había despertado, así que tuve que carraspear para llamar su atención.

—¡Ejem!

Nada, ni caso. Carraspeé más fuerte:

—¡¡Eeeeejeeeeem!!

Ahora, sí. Marijuli dio un respingo —¡ping!— y un gritito —¡ay!—, y Rufina se tiró toda la manzanilla por encima —¡chof!—. Ambas me miraron con cara de pocos amigos. Rufina fue la primera en hablar.

—¡Caramba con el bello durmiente! ¿Es que no vas a parar nunca de dar la lata? Primero te desmayas y nos las haces pasar moradas para meterte hasta aquí dentro, y ahora te propones matarnos de un susto.

—Lo... lo siento —balbucí—. Sólo quería avisaros de que ya estoy bien.

—Más vale así, porque no me ha quedado ni una gota de manzanilla. Lo mejor será que vaya a cambiarme.

Rufina bajó de un salto de la silla donde se encontraba y, con pasitos cortos y muy graciosos, se dirigió al dormitorio.

Entonces, Marijuli vino hacia mí entusiasmada.

—¡Esto es la repanocha, Gil Abad! ¡La repanocha! No sabes lo que me alegro de haberme encontrado contigo. Si no hubiese sido por ti, no habría conocido a Rufina. Y es simpatiquísima. Mira lo que me ha enseñado a hacer mientras estabas K.O.

Alzó los brazos moviendo mucho los dedos y pronunció varias palabras dificilísimas e ininteligibles. Al instante, la mesa que había en el centro del salón empezó a bailar un zapateado:

¡Tac! ¡Tacatá! ¡Tacá!... ¡Tac! ¡Tacatá! ¡Tacá!...

Al terminar, hizo una especie de reverencia y volvió a quedar rígida y normal.

Marijuli, que se había colocado en la cabeza un cucurucho puntiagudo hecho con papel de periódico, sonrió de oreja a oreja.

—¡Hop! ¿Qué te ha parecido? ¿Verdad que soy una buena aprendiza de hada?

Yo no sabía qué decir ni qué cara poner. Estaba maravillado, asombrado, en-

34

tusiasmado, alucinado y pasmado. Debía de ser porque todo aquello era maravilloso, asombroso, entusiasmante, alucinante y pasmoso. No hay otra explicación.

Rufina apareció de nuevo. Había cambiado su bata manchada de manzanilla por un quimono de karateca con cinturón negro.

—¡Ahí va! ¿Eres cinturón negro? —preguntó Marijuli.

—No, qué va... —Rufina sonrió, un poquitín avergonzada—. Sólo soy cinturón naranja. Pero farda tanto lo del negro...

—¡Ah, bueno! Por nosotros no hay problema. No se lo diremos a nadie. ¿Verdad, Gil Abad?

—¿Eh? ¿Ah? ¡Claro, claro...! No te preocupes. Guardaremos el secreto —le guiñé un ojo; el izquierdo, porque con el derecho no me sale—. Además, seguro que con un par de encantamientos eres capaz de dejar patas arriba a un auténtico cinturón negro y luego... —Rufina se había quedado quieta, mirándonos. Los ojos se le habían puesto húmedos y brillantes—. Rufina, ¿qué te pasa? No estarás llorando, ¿verdad?

Dio un suspiro.

—No me hagáis caso. Es que... *snif* —se limpió la nariz con la manga del quimono—, hacía tanto tiempo que no recibía una visita... Estoy muy contenta de que me hayáis encontrado. Ya empezaba a estar harta de no poder hablar más que con Carlota.

Como Marijuli y yo nos miramos con cara de sorpresa, Rufina se apresuró a aclarar:

—Carlota es mi lavadora automática. Os voy a presentar. Carlota, esta es Marijuli, este es Ernesto. Chicos, esta es mi amiga Carlota.

La puerta redonda de la lavadora se movió como una gran boca para decir:

—Hola. Disculpad que no os hubiese dicho nada. Es que aún no nos habían presentado y no me gusta hablar con extraños...

—Hola, Carlota —dijo Marijuli—. ¿Qué tal estás?

—¡Bah...! Un poco... centrifugada.

Pero voy tirando, gracias. Bueno, ya hablaremos otro rato; ahora tengo que hacer un par de prelavados.

—Vale, Carlota. Hasta luego.

Y Carlota puso la boca en redondo, encendió una lucecita anaranjada y comenzó a prelavar.

Yo cogí una silla y me senté junto a Rufina. Lo último que había dicho me tenía preocupado.

—Oye, Rufina... ¿cómo es que nadie viene a visitarte? ¿No tienes amigos?

Marijuli se había sentado también junto a nosotros.

—Antes —dijo Rufina—, sí tenía amigos que venían a verme. Gente estupenda, como vosotros. Algunos se marchaban y ya no volvía a verlos, pero venían otros nuevos. Siempre había alguien aquí dispuesto a tomar conmigo un tazón de chocolate con churros. Por cierto, tenéis que probarlo; hago el mejor chocolate del mundo. Pero, poco a poco, mis amigos empezaron a faltar, a venir con menos frecuencia hasta que, hace ya algún tiempo, dejaron de venir definitivamente.

Y yo dejé definitivamente de hacer chocolate.

—¿Cuánto hace que no tenías una visita?

—Pues, unos... sesenta años.

Marijuli y yo nos miramos espantados.

—¿Se... sesenta añooos? —dijimos a la vez.

—¿De veras hace sesenta años que estás sola? —preguntó Marijuli.

—Bueno... con Carlota. Ya os he dicho que me da mucha conversación. La faena es que no le gusta el chocolate, sólo el detergente.

—¿Y tampoco vienen a verte otras hadas como tú?

—¿Como yo? —Rufina sacudió lentamente la cabeza—. Como yo sólo quedan otras dos hadas en todo el mundo: una en México, la otra en China. Y el conjuro para viajar a sitios tan lejanos es complicadísimo y tan enrevesado que no apetece ni intentarlo. Además, si te confundes, aunque sólo sea un poquitín, corres el peligro de aparecer en el Polo Sur o en mitad del océano Pacífico. ¡Y regresar es todavía más difícil!

—¿Sólo tres en todo el mundo? ¡Caray, yo pensaba que habría muchas más hadas!

—Las hubo, las hubo. Hace unos siglos éramos cientos, tal vez miles de hadas por toda la Tierra. Pero los tiempos modernos casi han acabado con nosotras. Ya no hay fantasía. Nadie cree en las hadas. Y ninguna hada puede sobrevivir si no hay alguien que crea en ella. Por eso nuestras compañeras fueron desapareciendo víctimas del olvido, hasta que sólo hemos quedado nosotras tres. Supongo que porque estábamos en los países más fantasiosos del mundo.

A Marijuli y a mí se nos estaba cayendo la baba al oír hablar a Rufina. Tenía una forma de contar las cosas, un acento, un no sé qué, que te hacía estar pendiente de cada palabra que decía.

—Claro —continuó— que, aparte de nosotras tres, están las hadas de los cuentos. Pero ésas son unas antipáticas. Están metidas en sus historias y no quieren salir, ni enterarse de nada de lo que pasa en el mundo exterior. Se limitan a representar su papel una y otra vez. Están orgullosas de ser altas, guapas, de llevar trajes de seda y varitas de oro y brillantes. ¡Pero son falsas! —al llegar aquí, el hada Rufina parecía incluso un poco enfadada—. Las auténticas Hadas Buenas, las que pueden ayudar a los hombres, somos nosotras tres; aunque no midamos más que veinticinco centímetros con tacones, llevemos cucuruchos de terciopelo acrílico y varitas de acero inoxidable.

Marijuli y yo rompimos a aplaudirle.

—¡Bravo! ¡Bravo! *(plas, plas, plas).*

—¡Muy bien, Rufina! *(plas, plas).*

—¡Así se habla! *(plas).*

—Gracias, gracias —estaba emocionada—. Sois un encanto. Un verdadero encanto.

Rufina se cogió de nuestras orejas y nos dio —¡chuick!— un beso en la mejilla a cada uno.

—Lo malo —continuó— es que hay muy pocas personas como vosotros. Así es dificilísimo ayudar a la humanidad. Y, la verdad, ayudar a la humanidad es la única cosa que sé hacer.

—¿Cómo puedes ayudar a los hombres? —pregunté.

—¿Que cómo? ¡Puf! Un hada con suficiente experiencia, como es mi caso, conoce conjuros, magias y hechizos para casi cualquier cosa; desde arreglar el pinchazo de una rueda de bicicleta hasta evitar el hundimiento de un trasatlántico. Pero es preciso que la gente lo crea. Es preciso que confíen, que tengan fe y que pongan algo de su parte. Si no, no hay manera. Por ejemplo, tengo una fórmula estupenda que cura el resfriado en un periquete; otra, que arregla una pierna rota en veinticinco minutos, y otra más que va de maravilla para la bronquitis. Pero ¿de qué sirven si nadie se acuerda de mí ni piensa que yo puedo ayudarle? De nada. Y la gente sigue tomando aspirinas, poniéndose escayolas y haciendo vahos de eucalipto. ¡Ay, Señor, Señor! ¡Qué rara es la gente! ¡Y qué tonta, a veces!

Rufina, acabado aquel discurso, se quedó un poco cabizbaja. Estuvo callada cerca de un minuto. Yo ya pensaba que se había olvidado de nosotros.

—¡Rufina!

—¿Eh? ¿Ah? ¡Huy, qué susto! ¿Qué pasa? ¿Qué quieres?

—¿Por qué no dejas que te ayudemos?

—¿Quiénes?

—Marijuli y yo. Antes estabas sola. Ahora ya somos tres. Cuatro, si contamos a Carlota —oí la voz de Carlota que decía: «Gracias, chato»—. Entre cuatro podemos hacer muchas cosas. Podemos devolverle a la gente algo de fantasía perdida.

Marijuli empezó a dar saltos.

—¡Sí, sí, sí! ¡Venga, Rufina! ¡Di que sí! Intentarlo no cuesta nada. ¡Y puede ser muy divertido!

Me di cuenta de que era justo lo que Rufina deseaba. Pero no quería que se le notase lo contentísima que estaba. Dio una vuelta sobre la mesa, con las manos a la espalda, como cavilando. Por fin, se volvió hacia nosotros, abrió los brazos y, sonriendo, dijo:

—¡Bueeeeenoooo!

—¡Bieeeeen! —gritamos Marijuli y yo.

—Pero, antes que nada, tenéis que probar mi chocolate. ¿De acuerdo?

—¡Claro que sí! —dijo Marijuli—. ¡Me encanta el chocolate!

—¿Lo queréis con tostadas o con churros?

—¡Con churros! —volvimos a decir los dos a un tiempo.

Rufina se dirigió a la cocina; pero, antes de llegar, dio media vuelta y se nos quedó mirando con expresión angustiada.

—¡Horror! —dijo muy bajito.

—¿Qué sucede? —preguntó Marijuli.

—¿Qué pasa? —pregunté yo.

—¿Qué ocurre? —preguntó Carlota.

—¡Qué tragedia! ¡Qué horrible tragedia! —se lamentó Rufina.

—¿El qué? —dijimos los tres a un tiempo.

Rufina nos miró con cara de fracasada y añadió:

—¡Se me ha olvidado el conjuro para hacer los churros!

Tuvimos que tomar el chocolate con tostadas. Pero fue igual, estaba buenísimo.

# 4. La historia de Margarita

A PARTIR de aquel día, Marijuli y yo pasamos muchos y buenos ratos con el hada Rufina. Durante aquel verano tomamos docenas de tazas de chocolate y le vimos realizar centenares de actos prodigiosos. Algunos eran pequeñitos, simples, casi como trucos de ilusionista; sólo que sin truco; de verdad. Magia blanca auténtica. Otras veces eran verdaderas maravillas, grandiosas, espectaculares, que incluso eran noticia en los periódicos.

Poco a poco, día a día, a lo largo de aquel tiempo, pude ver que la gente de mi ciudad se iba sintiendo, no sé... mejor, más feliz, más satisfecha. Se veían por la calle menos caras avinagradas; se escuchaban menos bocinazos y menos palabrotas entre los conductores. En general, todo el mundo parecía un poquitín más amable y más comprensivo. Y todo porque la fantasía de Rufina era contagiosísima, y porque se iba introduciendo en todas las personas sin que ellas se diesen cuenta.

Aunque ella nunca quería darse importancia, yo veía que Rufina estaba orgullosa. Estaba consiguiendo ayudar a la gente y, lo que es más importante, estaba logrando que la gente se ayudase a sí misma; que todos nos echásemos una mano los unos a los otros.

Tratando de conseguir esto, nos sucedieron infinidad de historias divertidas, simpáticas y emocionantes. Me gustaría poder contároslas todas, una por una, pero eso sería muy largo. A lo mejor me costaba seis años.

Sin embargo, hay dos que sí os las voy a contar ahora mismo. Y quiero hacerlo porque son historias especiales. La primera es especial porque en ella conocimos a Margarita, que es una chica que me cae muy bien.

La segunda historia también es especial porque... Pero ¿qué hago? Si os lo explico, no tiene gracia. Será mejor que lo descubráis vosotros mismos.

Allá van.


UNA MAÑANA de domingo se encontraba el hada Rufina en su casa abrillantando con *sidol* su varita mágica cuando, de pronto, llamaron a la puerta.

Se extrañó no poco porque no esperaba visita tan temprano pero, sin pensárselo mucho, abrió. Abrió y se encontró con una de las mayores sorpresas de su vida: una niñita rubia, llorosa, a la que jamás había visto y que, por si fuera poco, llevaba un chupa-chup en la mano.

—Hola —dijo la niña entre dos sollozos pequeñitos—. Me llamo Margarita, tengo cinco años y me he perdido.

El hada Rufina estuvo a punto de caerse sentada al suelo.

—He leído en la placa de la puerta que eres un hada y he entrado para que me ayudes a llegar a mi casa, porque mis papás estarán muy preocupados.

Rufina recordó que, dos días antes, Marijuli y yo habíamos colocado en la parte de fuera de su árbol-vivienda una placa grabada que decía:

> RUFINA DEL BOSQUE
> HADA BUENA
> *Servicio permanente*

—Vaya... Ya veo que eres una niña muy lista. Bueno, pasa, límpiate esas lágrimas y esos mocos y dime dónde vives.

Margarita pasó al interior del árbol y, como se sabía de memoria su dirección completa, se la recitó a Rufina de carrerilla.

«¡Caray! —pensó el hada al oírla—. Eso cae al otro extremo de la ciudad. ¡Vaya papeleta!».

—Y... naturalmente, no llevarás dinero para coger un taxi —preguntó.

Margarita negó con la cabeza.

—Además, no quiero coger un taxi. Quiero que me acompañes a mi casa porque, si no, mis papás se enfadarán mucho conmigo.

—¿Y si te acompaño no se enfadarán?

—Sí. Pero se quedarán tan asombrados al verte que no me dirán ni pío.

Rufina sonrió. Margarita tenía toda la razón del mundo. Es que, a veces, los niños parecen entender a las personas mayores mucho mejor que las personas mayores a los niños.

—Vamos, te acompañaré hasta tu casa. Pero antes voy a dejarles una nota a dos amigos a los que esperaba dentro de un rato, para que no se preocupen.

Mientras escribía la nota, preguntó a Margarita qué tal día hacía.

—Nublado. A lo mejor llueve.

—¡Huy! —dijo Rufina—. Entonces habrá que coger el impermeable.

Así lo hizo. Se colocó encima un horrendo impermeable de color butano que le había comprado a un antiguo brujo metido ahora a vendedor ambulante y, cogiendo a Margarita de la mano, salió de casa. Con una chincheta clavó en la corteza del árbol el mensaje que había escrito. Al ir a cerrar la puerta, se dio cuenta de que el chupa-chup de Margarita estaba lleno de tierra y, haciendo un pase mágico, se lo cambió por uno de sus famosos caramelos especiales.

Tendríais que probar los caramelos especiales *Rufina*. Son buenísimos, redondos y transparentes; parecen grandes canicas de cristal. Y tienen el sabor que tú prefieras. Sólo tienes que pensar: «De limón». Y saben a limón. Si al rato te cansas del limón, piensas: «Ahora, de fresa». Y saben a fresa. Y así, todas las veces que quieras. Además, no se gastan hasta que no te cansas de ellos.

Margarita, claro, lo encontró muy rico, y, cogiéndose de la mano de Rufina, emprendió con ella el camino hacia su casa.

Al cabo de un rato, llegamos Marijuli y yo y nos encontramos el mensaje sujeto con una chincheta:

*«He salido hacia la*
*calle de la Higuera*
*en misión especial.*
*Venid a mi encuentro.»*

RUFINA

50

Yo no tenía ni idea de cuál era la calle de la Higuera, pero Marijuli —¡cómo no!— conocía perfectamente la calle y el camino que debíamos seguir. Y hacia allí salimos corriendo.

Teniendo en cuenta los pasitos de pulga que da Rufina, pensamos que no estaría muy lejos. Así fue. En cuanto estuvimos cerca del centro de la ciudad, empezamos a ver grupitos de gente con cara de asombro. Hablaban animadamente y gesticulaban mucho, señalando todos en la misma dirección. Al pasar junto a ellos, podíamos escuchar trozos de frase como, por ejemplo:

—Bla, bla, bla... así de pequeñita... bla, bla...

—Bla, bla, bla... impermeable de color butano... bla, bla...

—Bla, bla, bla... con una especie de varita... bla, bla...

Y cosas por el estilo. Estábamos, sin duda, en el buen camino. Efectivamente, al doblar una esquina:

—Mira, Gil Abad —dijo Marijuli—. Por allí va, cogida de la mano de aquella niña rubia.

—Es verdad. ¡¡¡Ruuuuufiiiinaaaaaaaaa!!!
—grité haciendo bocina con las manos.

Rufina se volvió y nos saludó agitando la varita. Todos los transeúntes se volvieron también. Desconcertados, miraban sucesivamente a Rufina, a Marijuli, a Margarita y a mí mismo. Y cuanto más nos miraban, más desconcertados parecían.

Rufina nos explicó en un momentito el asunto de Margarita con pelos y señales. Y Marijuli, como siempre, se hizo cargo de la situación al instante.

—No podemos ir andando hasta la calle de la Higuera; tardaríamos una barbaridad en llegar. Lo mejor será que cojamos el autobús de la línea Veintiuno. ¿Lleváis dinero? Es que yo, ni una peseta.

Rufina y Margarita negaron también con cara de tristeza. Pero, por una vez, allí estaba yo para sacarlas a las tres del apuro.

—No hay que preocuparse —anuncié—. Ernesto Gil Abad tiene la solución.

Y les enseñé mis famosas setenta y cinco pesetas que, curiosamente, aún no me había gastado.

—¿Habrá suficiente? —pregunté a Marijuli

Ella sacó rápidamente la cuenta:

—A diecisiete pesetas cada uno son... Mmmm... Cuatro por siete, veintiocho, y llevo dos... Mmmm... Total, sesenta y ocho pesetas... Sí, tenemos bastante; hasta nos sobrará para una bolsa de pipas. ¡Vamos! Hay una parada al final de esta calle.

Para que no se cansase, cogí a Margarita a corderetas, y Rufina se subió en el hombro de Marijuli. Llegamos en seguida a la parada del Veintiuno, donde ya estaban esperando dos ancianitos, que apenas se fijaron en nosotros. Hablaban entre ellos:

—¿Me dejas el periódico de hoy?

—Claro. Pero no trae más que malas noticias: guerras, asesinatos, accidentes... ¡Es un asco!

—Es verdad. ¡Un auténtico asco! Daría algo bueno por que un día, aunque sólo fuese un día, el periódico viniese con buenas noticias.

—¡Ja! No me hagas reír. Pides cada cosa...

Miré de reojo al hada Rufina. Rufina me miró a mí y sonrió maliciosamente. Luego hizo un pase mágico pequeñín, pequeñín.

El primer anciano echó un vistazo al periódico que el otro le acababa de prestar.

—¡Caramba! —dijo—. Mira, por hablar: en primera página no viene ninguna mala noticia.

—¿Cómo que no? —repuso el otro en seguida—. ¿No te parece mala noticia la guerra entre...? A ver... por aquí lo ponía... ¡Qué raro! Juraría que en este espacio hablaban de una guerra entre no sé qué países de África.

—Pues ya ves que no. De lo que hablan es del descubrimiento de una vacuna contra la tos. Y el resto de la página... «Una española gana el concurso de Miss Mundo»... «Se rescata con vida a los montañeros perdidos hace días»... «Ha sido liberado el político secuestrado la semana pasada; su estado de salud es bueno y ha engordado cuatro kilos»...

—¡Caramba!

—¡Caramba, caramba!

Los dos ancianitos se miraron sorprendidícimos y luego sonrieron con satisfacción.

—Aún resultará que el mundo se está arreglando —dijo uno.

Y ambos se pusieron la mar de contentos.

Ese era el método de Rufina. No es que ella pudiese evitar una guerra entre países africanos, pues eso debe de ser algo dificilísimo; pero sí podía ir dibujando sonrisas en la cara de la gente. Y eso lo hacía a las mil maravillas. Y también tiene su importancia, ¿no creéis?

—Ya viene —dijo Marijuli señalando el autobús grande y colorado que se acercaba.

El conductor traía una cara de malas pulgas, espeluznante. Al llegar a la parada dio un frenazo:

¡¡ÑÑÑÑÑIIIIIIIIIICCCCCKKKKK!!

Temblaron las baldosas de la acera. Abrió la puerta y nos gritó:

—¡Venga! ¡Suban rápido, que vamos con retraso!

Los ancianitos intentaron darse prisa, pero fue inútil. Tardaron una barbaridad en subir los cuatro altísimos escalones del autobús y, cuando llegaron arriba, el conductor estaba que echaba chispas.

—Dos, por favor —dijo, jadeante, el primer ancianito. Y para pagar sacó un billete de... ¡mil pesetas!

¡Lo que faltaba!

—¿Es que no tiene suelto? —gritó el conductor con voz terrible.

—No. Lo siento —respondió muy bajito el anciano.

Pensé que entonces el conductor sacaría de su cartera un cuchillo y un tenedor y se comería vivo al anciano. Rufina también debió de pensar lo mismo y, disimuladamente, agitó su varita.

La furia del hombre cesó al instante.

—En fin... ¿Qué le vamos a hacer? —dijo cogiendo el billete de mil—. Mire... Con esto, cien; con esto, quinientas, y con esto, mil. Pasen adentro con cuidado.

Los dos ancianos se habían quedado petrificados.

—Por favor... —tuvo que decirles Marijuli para que se movieran.

—¿Eh? ¿Ah? Sí, sí... Ya vamos, ya, jovencita...

Y pasaron adelante como si estuvieran viendo visiones.

—Cuatro —dije al llegar frente al conductor.

Pero éste echó un rápido vistazo a nuestro grupo y, señalando a Rufina, dijo:

—Los menores de cuatro años no pagan. Son sólo tres billetes.

Estuve a punto de echarme a reír. A la que no le hizo ninguna gracia fue a Rufina. Se levantó del suelo y fue flotando hasta colocarse a tres dedos de la nariz del sorprendido conductor.

—¡Sepa usted —le gritó— que tengo más de cuatro años! ¡Exactamente, setecientos veintidós! ¡Así que son cuatro billetes!

El conductor me miró, tragó saliva y luego dijo:

—Cuatro billetes. Sesenta y ocho pesetas.

Pagué, me dio los cambios y pasamos los cuatro a la parte de atrás.

58

Como era domingo, había muy poco tráfico y el viaje lo hacíamos a toda velocidad. Además, Rufina se ocupó de poner en verde dos o tres semáforos que nos encontramos. Lo hizo para llegar antes a la calle de la Higuera y que los padres de Margarita no estuvieran preocupados más tiempo del necesario.

Ahora íbamos por la avenida del Dos de Mayo, cuesta abajo, y el autobús corría que se las pelaba.

La verdad es que corría demasiado.

¡Corría muchísimo!

—¡Conductor! —gritó Marijuli—. ¿Por qué corre tanto? ¡Se acaba de saltar una parada en la que había gente esperando!

El conductor, de momento, no le contestó. Pisaba desesperadamente los pedales y tiraba con fuerza de todas las palancas que tenía a mano. De pronto, sin volverse, nos gritó:

—¡Sujétense! ¡Me he quedado sin frenos!

—¡Sin frenos! —gritaron los dos ancianos.

—¡Sin frenos! —gritamos nosotros cuatro.

¡Cuesta abajo y sin frenos!

—¡Haz algo, Rufina! —dije asustadísimo.

¿El qué?

—¿No hay un conjuro para detener autobuses sin frenos?

—¡Claro que lo hay! ¡Pero no lo conozco! ¡No pretenderás que conozca de memoria los catorce millones de conjuros que existen!

Íbamos a más de cien por hora. De repente, por una calle de la derecha salió otro autobús. Llevaba bastantes pasajeros. Me di cuenta de que íbamos a estrellarnos contra él, sin remedio. Nuestro conductor soltó el volante y se cubrió la cabeza con los brazos. Marijuli y Margarita chillaban como locas. Yo tenía tanto miedo que no podía cerrar los ojos. Vi las caras de algunos pasajeros del otro autobús. También debían de estar chillando.

Un instante después, nuestro autobús alcanzó al otro de lleno en el costado izquierdo, haciéndolo volcar. El nuestro, tras el choque, se dobló como un macarrón y dio tres vueltas de campana. Me vi lanzado hacia adelante; golpeé durísimamente con la cabeza el respaldo de un asiento; reboté hacia el suelo y luego hacia el techo; por fin choqué de espaldas contra el cristal delantero.

Cuando todo se detuvo, me quedé quieto, boca abajo, sin atreverme ni a respirar. Aquello tenía que haber sido un desastre, una horrible tragedia.

Pero... allí había algo raro.

¿Algo raro?

Sí, algo que no encajaba, como dicen en las películas.

¿Qué era? ¿Qué era?

¡Claro! ¡Ya lo tenía! ¡Que el choque había sido silencioso! ¡Sin ningún ruido! ¿Cómo pueden dos autobuses urbanos chocar a cien por hora sin meter ruido?

Y aún había otra cosa rara: después de haberme golpeado tan fuertemente contra varios lugares del interior del autobús, no había sentido el menor dolor. Me encontraba perfectamente. Ni siquiera tenía una moradura.

Me toqué los brazos, las piernas y el cuerpo. ¡Nada! Ni un rasguño. ¿Cómo podía ser?

Vi que Rufina se acercaba hacia mí.

—¿Estás bien? —me dijo—. Sí, ya veo que estás bien. ¡Vaya susto! ¿Eh? Menos mal que recordó las palabras mágicas en el último segundo.

—¿Palabras mágicas? ¿Para qué?

—¿No te has dado cuenta? ¡Mira!

Rufina dio un salto y empezó a rebotar en el suelo del autobús —¡boing, boing!— como si estuviese en una cama elástica.

—¡Hop! —decía mientras daba saltos mortales.

Toqué el suelo con el dedo. ¡Era blando! Me volví, cogí uno de los asientos de madera del autobús y, sin ningún esfuerzo, lo estrujé como si fuese una esponja de baño. ¡Blando también! ¡Y los cristales! ¡Y las barras de sujetarse! ¡Y el volante del conductor! ¡Todo!

—Es... ¡Es de gomaespuma! —le dije a Rufina.

—¡Exacto! Ése es el conjuro que recordé justo antes de que nos diéramos el porrazo: *«Cómo convertir cualquier material en gomaespuma»*.

—¿Y el otro? ¿Qué ha pasado con él?

—¿El otro autobús? ¡Igual!

Nos acercamos a la ventanilla y, a través del cristal de gomaespuma, lo vimos. Estaba ruedas arriba, pero de su interior no salían gritos de dolor sino risotadas y carcajadas. De cuando en cuando, por las ventanillas asomaba algún pasajero, todo despeinado y medio tronchado de risa, que gritaba: «¡Esto es la monda!» y volvía a meterse dentro.

Los dos ancianitos estaban muy cerca de nosotros, también ilesos, mirándolo todo con ojos desorbitados. Para ellos eran ya demasiadas sorpresas en una mañana. Margarita y Marijuli se acercaban dando botes desde el fondo del autobús, lugar al que habían ido a parar después del accidente. En cuanto al conductor, estaba hecho un lío entre su asiento, el volante y la palanca de cambios, que habían formado un nudo dificilísimo. Tanto, que tuvimos que ayudarle a soltarse porque, si no, a lo mejor se queda allí atrapado hasta el día siguiente.

CUANDO nos alejábamos ya hacia la casa de Margarita, el cruce donde se había producido el choque era una auténtica fiesta. Gente de todas las edades se divertía saltando y botando dentro y fuera de los autobuses. Y cada vez llegaban más. Algunos guardias de la circulación trataban de restablecer el orden pero acababan jugando con el resto, empujándose unos a otros, haciendo concursos, a ver quién botaba más alto o quién era capaz de dar más saltos mortales en el aire.

A nadie parecía preocuparle saber de dónde habían salido aquellos autobuses de gomaespuma. Se lo estaban pasando en grande.


LOS PADRES de Margarita resultaron ser encantadores. En cuanto Marijuli les pidió que no echasen una bronca a su hija, le dijeron que bueno, que no.

Luego, querían que nos quedásemos a comer pero Marijuli debía volver a su casa y yo a la mía. Y Rufina no quiso dejar que volviésemos solos a nuestro barrio. (Yo creo que la que no se atrevía a regresar sola era ella.) Quedamos en volver otro día a merendar con Margarita y sus padres.

Ya de vuelta a casa, pasamos de nuevo por el cruce del accidente. El jolgorio en los autobuses de gomaespuma continuaba a pesar de que ya era casi la hora de comer. Rufina se quedó mirando un rato largo.

—¿Sabéis? —nos dijo de repente—. Aunque hay temporadas en las que todo nos sale mal y nadie nos hace caso... la verdad es que... ¡ser Hada Buena es el mejor oficio del mundo!

Poco después el cielo, que toda la mañana había estado gris, se puso negro, negro. Se oyó un trueno largo y empezó a llover. La gente abandonó los autobuses y fue marchándose hacia sus casas. Oímos comentarios de los que pasaban junto a nosotros sobre lo mucho que se habían divertido.

Al poco rato, la lluvia había empapado

66

la gomaespuma, que, primero, se hinchó y, luego, comenzó a derretirse como esas bolas de algodón de azúcar que dan en las ferias. Rufina se disculpó por la mala calidad del material.

—Lo siento. Tuve que decir el conjuro tan deprisa...

Se abotonó el impermeable de color butano, se echó la capucha sobre la cabeza y añadió:

—¡Hala! ¡Vámonos a casa!

Ya casi no quedaba ni rastro de los autobuses. Pero no importaba: habían cumplido su misión de conseguir sacar muchas, muchas, pero que muchas sonrisas aquella mañana de domingo.

# 5. La locomotora «123»

RUFINA nos había invitado a comer.

—¡Qué bueno! ¡Pero qué bueno! ¡Pero qué rebuenísimo está! —decía yo una y otra vez con la boca llena.

—Nos tendrías que dar la receta —dijo Marijuli.

—¡Huy! Estaría encantada de hacerlo, de veras, pero no creo que puedas conseguir los ingredientes.

—¿Por qué?

—Porque... pero Ernesto, hijo, deja de hablar con la boca llena, que está muy feo... Porque son ingredientes especiales, que sólo se pueden conseguir por medio de encantamientos culinarios. Por ejemplo, en este plato que estáis comiendo, el ingrediente principal es el atrolio.

—¿Atrolio?

—¿A que está bueno? Pues mi madre lo sabía preparar de nueve formas distintas. Claro que, en sus tiempos, iba todo mucho más barato. Con dos pases mágicos, tenías atrolio para toda la semana. Ahora, en cambio, para conseguir este poquito he estado cerca de quince minutos venga a darle a la varita.

Rufina se había lavado la cabeza y se había puesto rulos para rizarse el pelo. Entre eso y su famosa bata color mostaza estaba mortal, la pobre.

Estábamos teniendo una comida de lo más tranquila cuando, a la hora del postre, llamaron a la puerta:

*¡Pom, pom, pom!* Tres veces.

En seguida: *¡Pom, pom!* Dos veces más.

Y al momento: *¡Pom!* Una.

Rufina quedó un momento pensativa.

—Esa forma de llamar... Sólo pueden ser...

Un vozarrón venido desde fuera le confirmó sus sospechas.

—¡¡Rufina!! —dijo el vozarrón.

El hada dio un bote de medio metro.

—¡Son ellos, son ellos! —gritó alborozada.

Y salió corriendo a abrirles. Cuando lo hizo, entraron, con gran contento por parte de Rufina y de ellos mismos, tres tipos corpulentos vestidos de *sport*, con camisas de manga corta y pantalones mil rayas. Los tres parecían bastante mayores y tenían aspecto de actores de cine. Sobre todo uno, ya canoso. El otro tenía el pelo castaño y no paraba de reírse. El tercero era negro.

—¡Chicos! —nos llamó Rufina—. ¡Venid, voy a presentaros a tres buenos amigos de toda la vida!

Y en el mismo orden en que habían entrado nos los presentó:

—Éstos son los ayudantes, los famosísimos ayudantes de Melchor, Gaspar y Baltasar.

Marijuli y yo nos quedamos de piedra.

—¿Los pajes de los Reyes Magos? —preguntó tímidamente Marijuli.

—¡Claro! —respondieron los tres a coro. (Debo deciros que muchísimas veces hablaban los tres a un tiempo.)

70

—Yo me los figuraba... a ellos y a ustedes... de otra manera.

—Será por la vestimenta —dijo el paje de Melchor—. Seguro que esperabas encontrar mantos de armiño, túnicas de raso y seda, ¿verdad?

—¡Hombre...! ¡Digo, señores pajes!

—¡Pero chiquilla...! ¿Cómo vamos a ir así en pleno verano, con el calor que hace? Eso está bien para el mes de enero, pero ahora...

—¿Y las barbas? Siempre he creído que ustedes, como los Reyes, llevaban barba.

—Con las barbas pasa lo mismo. En cuanto llegan los calores no hay quien las aguante y nos las afeitamos. Los tres Reyes no, pero nosotros sí. En el mes de octubre nos las volvemos a dejar, y para las Navidades ya están como todo el mundo espera.

—Bueno, bueno, bueno... Y ¿qué os trae por aquí? —dijo Rufina—. ¿De vacaciones?

—¡Bah! Más o menos... En realidad hemos venido a hacerte una visita porque nuestros señores necesitan tu ayuda, Rufina.

—¡Vaya! ¿Qué ocurre? ¿Los Reyes no encuentran suficientes juguetes? ¿O es que les duelen las muelas a los camellos?

—¡Ja, ja, ja! —rió el paje de Baltasar—. Pues mira, por ahí va la cosa.

—Sí. Se trata de los camellos.

—¡Estamos hartos de ellos!

—No es que no los queramos, no. Son unos animales estupendos para pasear, para ir de visita o de compras al supermercado...

—Pero el día «D»...

—... o sea, el seis de enero...

—... no son nada prácticos.

—Además, hay que tener en cuenta que cada vez hay más niños en el mundo...

—... y que en los camellos caben muy poquitos juguetes...

—... y que, por tanto, cada vez necesitamos más y más camellos.

—El año pasado tuvimos que emplear cerca de dos mil.

—Los tuvimos que alquilar a las caravanas de comerciantes del desierto.

—¡Y a menudos precios!

—¡Total, que este año los Reyes han decidido prescindir de los camellos en el día del reparto! Y hemos venido a que nos aconsejes un buen medio de transporte, capaz, rápido, seguro y, a poder ser, barato.

¡Aquello era inaudito! Tan inaudito que hasta Rufina se quedó sin habla durante un minuto.

—No podéis estar hablando en serio... —dijo por fin—. La comitiva de los Reyes Magos no puede... no debe... ¡Ni hablar! No contéis conmigo para semejante barbaridad. Tenéis que repartir los juguetes con camellos, como debe ser.

—¡Rufinaaaaaa...! —gimieron los tres pajes.

—¡Nada, que no! Además, yo tengo mis ocupaciones. He de ayudar a la gente a que no pierda la alegría de vivir ni la fantasía. Y eso lleva mucho trabajo.

—¡Precisamente por eso tienes que ayudar a nuestros Reyes, mujer!

—¡Date cuenta! Si seguimos con los camellos, las próximas navidades habrá muchos niños que se quedarán sin juguetes.

—Con la cantidad de gente que ya no cree en los Reyes Magos si, encima, no se reparten juguetes, eso será el fin.

—Y si la gente deja de creer en los Reyes Magos, con mayor razón dejará de creer en sus tres pajes.

—Y mucho menos creerán en las hadas...

—Es decir, en ti.

—Así que más vale que nos ayudes.

Rufina nos miró. Estaba un poco confusa. Yo también lo estaba, claro. Supongo que ya os habréis dado cuenta de que soy un poco duro de mollera. Pero Marijuli seguía siendo un portento.

—Creo que tienen razón, Rufina —dijo—. La mejor manera de ayudar a la humanidad en estos momentos es echarles una mano a estos tres señores. Los Reyes mantienen vivas muchas ilusiones y muchas fantasías. Sin fantasías, tu labor se haría casi imposible. Y tendrías que buscarte otro mundo donde vivir.

Rufina miró a Marijuli. Luego se volvió hacia los tres pajes.

—Ya habéis oído a mi consejera. Cree que debo ayudaros. Así que os ayudaré.

—¡Estupendo! —gritaron los tres de una vez.

—Bien, bien, bien... Vamos a ello, pues. Lo que necesitan los Magos es un medio de transporte moderno. ¿Camiones tal vez?

—Pudiera ser —dijo el paje de Gaspar—. ¿Cuánto valen?

—Caros, muy caros. Carísimos —respondió el de Melchor—. Mi rey estuvo viendo catálogos hace unos días. Además, hay que tener carné de conducir de primera. Yo tengo; tú también, y tú podrías sacártelo. Pero con tres camiones no tendríamos ni para empezar. Necesitaríamos por lo menos veinte.

Lo estaban poniendo difícil. Un medio de transporte capaz de llevar tanta carga como veinte o más camiones, que pudieran conducirlo los tres pajes reales y que resultase barato...

De repente se me ocurrió cuál podía ser.

Miré a Marijuli y me di cuenta de que ella estaba pensando en lo mismo. Me animó con un gesto a que lo dijera. Y lo dije.

—¿Y...? ¿Y por qué no...? ¿Y por qué no un tren?

Los tres pajes de Oriente y el hada me miraron durante unos instantes. Luego, ellos se echaron a reír con grandes aspavientos. Rufina, no. Ella se quedó pensativa.

—¡Ja, ja, ja! ¡Ja, ja, ja! —reía el paje de Baltasar—. Tiene gracia este chico, ¿verdad?

—¡Ja, ja, ja! ¡Ja, ja, ja! ¡Ya lo creo! —respondía el de Gaspar—. ¿Te imaginas a nuestros Reyes Magos conduciendo una locomotora? ¡Ja, ja, ja!

Habrían seguido riéndose toda la mañana de no ser porque Rufina les hizo callar.

—¡Silenciooo! —gritó.

—¿Qué pasa? —dijeron los tres a la vez.

—Lo que pasa es que Ernesto tiene razón: el tren es la solución a vuestro problema.

—Pero, Rufina, seamos serios... Un tren necesita raíles...

—Veamos... Ese, aun siendo el problema más grave, no es imposible de solucionar. Vuestros Reyes son magos. Vosotros también tendréis algunos poderes, ¿no?

—Hombre... Un poco sí, algo se pega...

—Yo también sé lo mío de magia —dijo Rufina—. Entre los cuatro podríamos conseguir que el tren anduviese sin raíles, por el aire. Al menos durante la noche del cinco al seis de enero.

—De acuerdo, de acuerdo —admitió el paje de Gaspar—. Pero... ¿y el precio? ¿Tienes idea de lo que puede costar una locomotora y veinte vagones? ¡Un ojo de la cara! ¡Un riñón! ¡Una... una burrada!

—Yo sé dónde podríamos conseguir un tren baratísimo. Posiblemente, gratis —respondió Rufina.

—¿Gratis? —dijeron los tres a la par.

—Eso he dicho: gratis.

—Aun con todo —dijo el paje de Baltasar—, sería carísimo de mantener. Una locomotora gasta más gasóleo que treinta camiones juntos.

—Es que la locomotora en la que estoy

pensando no es de gasóleo, sino de carbón. Y vosotros, en vuestros almacenes de Oriente, tenéis todo el carbón que queráis. Simplemente con que no lo malgastéis dejándoselo a los niños malos...

—¡Es verdad! —dijo el paje de Gaspar—. Siempre he pensado que eso de dejar carbón es una estupidez.

—¡Y yo también! Dejar carbón es de mal gusto. ¡Y muy sucio! A mí se me nota menos porque soy negro, pero vosotros os ponéis perdidos.

Pero el paje de Melchor estaba un poco fastidiado.

—¡Dejar carbón a los que se portan mal es la tradición! Y las tradiciones están para mantenerlas.

—Pues está llegando la hora de darle una patada a esa tradición.

—¡Y tanto!

—¡Calma! ¡Calma! ¡Caaaalmaaaaaaa! —era la voz de Rufina, deteniendo la discusión—. Vamos a hacer una votación. A ver, tú.

—Yo voto no al reparto de carbón.

—¿Y tú?

—También que no. Prefiero emplearlo en la locomotora.

—Sólo quedas tú.

El paje de Melchor miró a sus dos compañeros con cara de fastidio. Miró a Rufina. Miró a Marijuli. Me miró a mí. Miró al techo. Sonrió y dijo:

—¡De acueeerdo! No más carbón a los niños malos. Y ahora vamos a ver esa locomotora.

Fuimos a la estación que había cerca de la arboleda, aquella estación de donde salían los trenes que veía pasar con mi abuelo. Como habían quitado el servicio, todas las locomotoras estaban ahora guardadas en grandes cocheras. Nadie se acordaba de ellas. Algunas habían empezado a oxidarse y grandes manchas de color marrón aparecían por su superficie. La estación parecía abandonada. Sólo algunos operarios circulaban de aquí para allá. Ahora servía como taller para reparar los vagones de mercancías y los coches de viajeros. Allí los pintaban, les arreglaban los asientos rotos, les engrasaban los ejes y les reponían las bombillas fundidas. Pero a las viejas locomotoras de carbón nadie les hacía el menor caso.

Cuando llegamos adonde las locomotoras viejas, nos dirigimos a un empleado, el único que vimos, que estaba comiéndose un bocadillo de salchichón.

—Que aproveche —dijo Rufina como saludo.

El hombre dejó de comer y se quedó mirando los veinticinco centímetros de altura del hada. Y no contestó ni gracias ni nada. Se quedó mudo.

—Perdone que le molestemos —dijo Marijuli—, pero es que estamos interesados en adquirir una de esas locomotoras viejas.

—De las que funcionan con carbón —añadí yo.

El pobre hombre no se atrevía ni a masticar el trozo que tenía en la boca.

—¿Cuánto cree que puede valer una que esté en buen estado? —preguntó el paje de Melchor.

—¿Valer? Nada —respondió el hombre del bocadillo, por fin.

—Hombre... algo valdrá.

—¡Qué va! Aquí no hacen más que estorbar. Si no fuera porque para moverlas hay que traer unas grúas enormes, hace tiempo que se las habrían llevado a la chatarra.

—Entonces... ¿podemos llevarnos una? —dijo el paje de Melchor.

—Y también necesitaríamos veinte o treinta vagones viejos de mercancías —añadió el de Baltasar.

—Son para repartir juguetes. Somos los pajes de los tres Reyes Magos, ¿sabe? —completó el de Gaspar.

El hombre del bocadillo los miró de arriba abajo y luego de abajo arriba. Rufina salió en ayuda de sus tres amigos.

—Mire, ya sé que es difícil de creer, pero yo le aseguro que...

—¿Y usted? ¿Quién es usted? ¿La hermana de Pulgarcito?

—Soy el hada Rufina del Bosque —dijo algo molesta—, y no me gusta que se rían de mi estatura.

—Miren —dijo entonces el empleado—, yo no sé si ustedes dicen la verdad, si se han vuelto locos o si están todos borrachos. Pero si son capaces de llevarse una locomotora y veinte vagones, me lo creo todo. Me da igual que sean los pajes de los Reyes Magos, Papá Noel o el pato Donald.

—¿Entonces...?

—Vamos. Cójanla. Y también los vagones. El jefe no los echará en falta.

Dicho y hecho. Ya teníamos un tren completo. Entramos en las cocheras y revisamos una por una todas las locomotoras. Yo les iba diciendo cuáles eran las que estaban en mejor estado, hasta que elegimos una preciosa, grande, potente, con el número «123» pintado en rojo y oro en el frente y en los costados.

Extendiendo sus dos brazos y apuntando con los dedos índices hacia la locomotora, Rufina comenzó a hablar en un idioma muy raro, que sonaba a antiguo. Era el encantamiento más bonito que os podéis imaginar. En seguida, la «123» comenzó a elevarse, salió de la cochera y quedó flotando sobre el andén principal de la vieja estación. Entre todos le engancharon veinticuatro viejos vagones de mercancías. El tren quedó dispuesto para la salida, flotando a un metro del suelo, más o menos.

El hombre del bocadillo miraba toda la operación sin mucho asombro.

—Oiga, buen hombre —gritó el paje de Gaspar—, ¿podemos coger unos cuantos kilitos de carbón? Es sólo para llegar hasta casa.

El empleado señaló un gran montón de antracita junto a la puerta de un almacén.

Rufina dio tres pases mágicos y la antracita voló hasta nuestra locomotora.

—¡Aquí hay una pala! —dijo el paje de Baltasar.

—Pues empieza a echar carbón en la caldera mientras llenamos el depósito del agua.

El paje de Baltasar comenzó a echar paletadas de carbón. Marijuli y yo enchufamos la cañería del agua en la boca del depósito de nuestra locomotora. Se llenó en un santiamén, y cuando el carbón, ardiendo, la hubo calentado, nos subimos los seis a la «123».

—¿Alguien sabe cómo se maneja este trasto? —preguntó un paje.

—¡Naturalmente! —respondí yo—. Mi abuelo era maquinista. A ver, hacedme sitio.

Empecé a explicarles todos los artilugios que hay dentro de una locomotora.

—Esto es el medidor de presión. Esto, la llave de paso del vapor. Esto, la palanca de los frenos. Esto, el termómetro de la temperatura del agua. ¿Comprendido?

—Síííí... —respondieron a la par los tres pajes, Marijuli y Rufina.

—Pues en cuanto el vapor alcanza esta presión, ya se puede arrancar. Se abre la válvula y las ruedas empiezan a moverse. Vais a verlo.

Abrí un poco la válvula. El vapor pasó a los pistones, los pistones movieron las bielas y las bielas movieron las enormes ruedas, cuatro a cada lado. Aunque el tren estaba suspendido en el aire, se comportó como si estuviese apoyado en los raíles. La locomotora dio un tirón y, con un crujido, empezó a arrastrar las dos docenas de vagones.

—¡Adiós, señores! ¡Buen viaje! —nos gritó el hombre del bocadillo de salchichón.

¡Adiós! ¡Y gracias por todo!

Abrí más la válvula para que el tren cogiese velocidad. Ahora había que seguir echando carbón a la caldera para que el agua no se enfriase.

—¡Más carbón! —gritó el paje de Melchor—. ¡Más carbón!

Abrí completamente el paso del vapor. El tren empezó a correr y, en seguida, empezó también a elevarse. Al poco rato pasábamos sobre la arboleda.

—¡Mirad! —gritó Rufina señalando hacia abajo—. ¡Ahí está mi casa! Es ese árbol de ahí, junto a la orilla.

El tren seguía ganando altura y velocidad. El paje de Baltasar trabajaba como un negro, venga a echar carbón.

—¡Es estupendo! —decía el de Gaspar—. Mucho mejor de lo que yo había soñado. ¡Y cabrán millones de juguetes!

—¡Además es rapidísimo! —gritó el de Melchor—. ¿A qué velocidad vamos, maquinista?

86

—A ochenta por hora —contesté.

—¿Crees que podremos llegar a los cien?

Habrá que echar más carbón.

—¡Fogonero, más carbón!

—¡No puedo ir más aprisa! —dijo el paje de Baltasar—. ¿Por qué no me echáis una mano?

—¡Venga! —gritó Rufina—. Vamos todos a echar carbón.

Los tres pajes, Rufina y Marijuli empezaron a echar carbón como descosidos. Se estaban poniendo perdidos, pero consiguieron que aumentase la velocidad.

—¡Noventa! —anuncié—. ¡Noventa y cinco...! ¡Cien por hora!

—¿A ver, a ver...? ¡Es cierto! —gritó el paje de Melchor—. ¡Vamos a cien!

—¡Hurraaaaaaa! —gritó el de Gaspar.

—¡Yupiiiiiii! —gritaron el de Baltasar, Marijuli y Rufina.

¡Qué gozada! La «123» metía un ruido descomunal, impresionante. Acababa de hacerse de noche y navegábamos por un cielo negrísimo, en el que íbamos dejando una estela de chispas rojas y blancas.

El tren era como un gigantesco gusano que se retorcía sobre los tejados de la ciudad, subiendo, bajando, girando, haciendo mil diabluras. Al abrir la compuerta de la caldera para seguir echando carbón, el resplandor de las llamas nos pintaba de rojo la cara y los seis parecíamos indios pieles rojas. El paje de Melchor se empeñó en coger los mandos y empezó a hacer locuras. Primero, vuelo rasante; luego, vuelo invertido. En uno de los giros, Rufina salió despedida de la cabina de la locomotora y tuvo que seguirnos volando hasta que consiguió alcanzarnos de nuevo. La bronca que le echó al paje fue de antología.

Casi una hora estuvimos probando el tren. Después, cansados pero contentos, lo aparcamos a la orilla del río. Nos duchamos en casa de Rufina para quitarnos el hollín y fuimos a despedir a los tres pajes, que tenían que regresar al Oriente.

—¡Gracias, Rufina! ¡Gracias, chicos! ¡Es un tren estupendo! —dijeron los tres a la vez.

Nos dieron un montón de abrazos y de

besos y prometieron visitarnos en enero, vestidos como Dios manda y con las barbas ya crecidas.

Subieron a la máquina. El paje de Baltasar, definitivamente convertido en fogonero, echó tres nuevas paletadas de carbón a la caldera. El de Gaspar hizo sonar el silbato de la «123»: primero, tres veces; luego, dos; luego, una. El de Melchor abrió la válvula, y el tren inició su camino.

—¡Adiós! ¡Adiós! ¡Hasta enero!

Rufina sacó un gran pañuelo blanco y lo agitó por encima de su cabeza. Marijuli saltaba y hacía grandes aspavientos con los brazos. Yo también.

Vimos cómo el tren tomaba altura y se iba haciendo más y más pequeño, hasta perderse totalmente de vista.

—¡Ay...! —suspiró Rufina—. ¡Qué pena que se hayan ido! Son buenos chicos, ¿no es cierto?

—Sí, tal vez un poco locuelos —dijo Marijuli.

—A mí me caen bien —añadí—. Y lo hemos pasado fenomenal. Pero ya es hora de que me vaya marchando a casa.

—¡Qué tontos somos! —dijo Rufina dándose con la varita en la cabeza—. Podías haberte ido con ellos en el tren y que te hubiesen dejado en tu casa al pasar por allí.

—¿Qué? ¡Ni pensarlo! Después de haber visto cómo conduce ese paje... ¡prefiero ir andando!

Rufina y Marijuli se rieron. Yo también me reí. Pero menos, porque aún me quedaba una buena caminata hasta llegar a casa.

# 6. Hasta siempre, Rufina

PASÓ el verano. Gracias a unas clases particulares que me dio Rufina y, sobre todo, a que estudié como un cosaco, logré aprobar en septiembre las cuatro asignaturas.

Rufina siguió haciendo de las suyas durante bastante tiempo. Nuestra ciudad continuó mejorando y sonriendo cada vez más y mejor.

Pero sucedió que una mañana, cuando Marijuli y yo fuimos a ver a Rufina, nos la encontramos, a la puerta de su árbol, vestida como para iniciar un viaje y con una maleta a cada lado.

—¡Hola, chicos! —nos dijo—. Os estaba esperando para... despedirme.

—¿Te vas?

—Sí. Aquí, con vuestra ayuda, he conseguido hacer cosas estupendas. Ahora me necesitan más en otros lugares.

—Pero... volverás, ¿verdad?

—Es posible... Mientras tanto, procurad que todo lo que hemos conseguido no se pierda, ¿eh?

Voló hasta nuestras mejillas y nos dio un beso muy fuerte —¡muack!— a cada uno.

—Despedidme de Margarita y de todos los demás. ¿Vale?

—¡Vale! Y oye...

—¿Qué?

—No te olvidaremos nunca.

—Ni yo a vosotros...

Rufina sonrió. Pero tenía los ojos húmedos, como el día en que nos vimos por primera vez. Cogió sus maletas, dio media vuelta y desapareció.

Fui hacia su árbol-vivienda. Nada más tocarlo, ya me di cuenta de que había vuelto a convertirse en un árbol corriente.

En silencio, Marijuli y yo nos alejamos de allí. Caminamos un rato sin decir palabra hasta que ella me preguntó, de repente:

—Oye, Gil Abad, ¿de veras crees que Rufina es un hada?

—¡Claro! Pero, sobre todo, es una amiga. La mejor amiga que tengo, después de ti.

Sonrió. Pero no se puso colorada. No hay forma de que Marijuli se ponga colorada.

—¡Hey! —gritó de pronto—. Ahora recuerdo que mi madre me ha dado cincuenta pesetas. ¡Te invito a un polo!

—¡Estupendo!

Y los dos corrimos hacia el quiosco de la arboleda.

# Índice